Koen en Lot in de bovenbouw

Een nieuwe club
en een groot geheim

Wil je meer lezen over Koen en Lot in de bovenbouw?

Lees dan ook deel 2:

Koen en Lot in de bovenbouw

deel 1

Een nieuwe club
en een groot geheim

Marianne Busser en Ron Schröder

Met illustraties van Dagmar Stam

Van Holkema & Warendorf

Voor Maarten

NUR 283
ISBN 978 90 475 0012 4
© 2007 Uitgeverij Van Holkema & Warendorf,
Unieboek BV, Postbus 97, 3990 DB Houten

www.unieboek.nl
www.mariannebusser-ronschroder.info

Tekst: Marianne Busser en Ron Schröder
Illustraties: Dagmar Stam
Vormgeving omslag: Petra Gerritsen
Opmaak binnenwerk: ZetSpiegel, Best

Inhoud

Een bulderende meester en een fantastisch bericht

'En nou is het uit met het gedonder!' buldert meester Dirk. 'Ik ben jullie echt spuugzat! Vanaf nu koppen dicht allemaal. Nog één keer, en jullie blijven een uur na!'

Lot draait zich om en rolt met haar ogen naar Koen.

Tom slaakt een diepe zucht. Het is echt weer dinsdag, denkt hij. Dolle-Dirk-dag. De vrije dag van juf Willeke. Die man had gewoon nooit voor de klas moeten gaan staan.

Tom baalt als een stekker. Niet alleen om meester Dirk, maar hij moet zo ook nog naar de tandarts. Dubbele pech dus voor hem. Eindelijk gaat de bel. Snel pakt Tom zijn tas en hij loopt achter de anderen aan de klas uit.

'Loop je mee naar huis?' roept Koen.

'Kan niet,' roept Tom terug. 'Ik ben op de fiets, want ik moet naar de tandarts.'

Lot steekt haar duim omhoog. 'Sterkte! Het valt vast mee.'

Op de terugweg raakt Koen niet uitgepraat over meester Dirk. 'Ik heb toch zó'n hekel aan die man,' zegt hij nijdig.

'Ja,' zegt Lot, 'aardig kun je hem niet echt noemen. En er hangt altijd een raar luchtje om hem heen. Ik weet niet waar dat vandaan komt.'

'Nou, ik hoef het niet te weten ook,' bromt Koen. 'Gelukkig zit ik achter in de klas, en hij loopt toch nooit rond. Wordt hij waarschijnlijk te moe van.'

Als ze hun eigen straat in lopen, zien ze buurman Bol. Hij is druk aan het sjouwen. Er staat van alles en nog wat in de voortuin.
'Wat bent u aan het doen?' vraagt Lot vrolijk.
Buurman Bol blijft staan. Hij veegt het zweet van zijn voorhoofd.
'Tuinhuisje opruimen,' zegt hij. 'Er stond zo vreselijk veel in.

Toen mijn vrouw nog leefde, gebruikte ze dat huisje om er bloemstukjes te maken. Maar ik heb er de laatste jaren steeds meer troep in gezet. Moet je zien: kisten, oude planken, een kapotte grasmaaier en zakken met afval. Als alles eruit is, bel ik de gemeente om te vragen of ze die zooi morgenochtend op kunnen halen.'

'Gaat u het huisje dan zelf gebruiken?' vraagt Koen.

'Dat niet,' zegt de buurman. 'Ik zou niet weten wat ik er zou moeten doen. Het huis is groot genoeg voor mij alleen. Maar ik vond het gewoon erg dat het zo'n rommel was geworden.'

'Mogen we helpen?' vraagt Lot.

'Nou,' zegt buurman Bol. 'Dat zou niet gek zijn. Het zweet loopt in straaltjes van mijn rug en er moet nog van alles naar de straat gesleept worden.'

'Dan doen we dat,' zegt Lot. 'Kom op, Koen. We brengen onze tassen thuis en dan gaan we ook sjouwen.'

Even later zijn ze met zijn drieën druk bezig.

Plotseling blijft buurman Bol staan. 'Misschien is dat huisje wel iets voor jullie,' zegt hij dan.

'Hoezo?' vraagt Lot. 'Wat moeten wíj daar nu mee?'

'Wat dacht je van een clubhuis?'

Koen en Lot kijken elkaar stomverbaasd aan. Dan beginnen ze allebei te juichen.

'Yes!' schreeuwt Koen. 'Dat is leuk!'

'Mag dat echt?' vraagt Lot voor de zekerheid.

'Natuurlijk,' zegt buurman Bol. 'Anders zei ik het toch niet? Als jullie er maar voorzichtig mee zijn. Het is tenslotte wel van mijn vrouw geweest, en ik wil niet dat het weer een zooi wordt.'

Buurman staart even voor zich uit. 'Tja. In juni was het alweer tien jaar geleden dat ze is gestorven. Toen waren jullie nog heel klein.'

Koen en Lot schrikken.

'Jammer hè?' zegt Lot zacht.

'Ja, ik mis haar nog steeds. Maar ja... Ze zou het in elk geval wel fijn hebben gevonden dat jullie mij nu helpen.'

En dan werken ze nog een tijdje door. Tot Lot op haar horloge kijkt. 'Is het al zó laat?' vraagt ze geschrokken. 'Ik moet eten.'

'Gaan jullie maar gauw,' zegt de buurman. 'Ik stop er nu ook mee. Morgen ga ik alles netjes aanvegen en dan zien we wel weer verder. Eet smakelijk, jongens. En bedankt voor de hulp!'

'Tjonge,' zegt Koen op weg naar huis. 'Dat wordt dus ons clubhuis. Wie heeft dat nou?'

'Helemaal te gek,' zegt Lot. 'Maar een club van twee is eigenlijk niet leuk. We kunnen Tom en Els er ook wel bij vragen. En Daan misschien?'

'Ja, Daan ook. Dan hebben we een leuke groep. Morgenmiddag hebben we vrij. Dan kunnen we afspreken en het nieuws vertellen.'

'Ik bel ze straks op,' zegt Lot. 'En dan vraag ik of ze om twee uur bij mij kunnen zijn voor een geheime vergadering. Ze zullen er wel niks van snappen, maar dat maakt niet uit.'

Een nieuwe smoes en een prachtig clubhuis

De volgende morgen staat juf Willeke weer voor de klas. 'En?' vraagt ze. 'Hebben jullie je gisteren een beetje gedragen?'

'Wij wel,' zegt Bart. 'Alleen meester Dirk niet. Blij dat je er weer bent, juf.'

Juf Willeke schudt haar hoofd. 'Ik snap het niet. Wat gaat er nu precies fout tussen jullie en meester Dirk?'

'Nou, gewoon,' bromt Joris. 'Zo'n beetje alles. Het is nooit leuk. Hij staat de hele dag te brullen, en af en toe drinkt hij wat water uit zijn flesje. Zeker omdat hij keelpijn krijgt van al dat geschreeuw.'

'Jammer, hoor,' zegt Willeke. 'We vonden het juist zo fijn dat meester Dirk kon invallen als iemand van ons een vrije dag heeft.'

'Nou, wij niet,' zegt Koen. 'Hij kan toch wel een beetje gezellig doen. We moeten altijd meteen aan het werk en het is nooit goed.'

Juf Willeke zucht eens. Daarna kijkt ze de klas rond. Haar blik blijft rusten op een lege stoel bij het raam. 'Waar is Daan eigenlijk? Is hij weer eens te laat of is hij ziek?'

Lot schrikt. Ziek! Dat zou niet zo mooi uitkomen, want dan kunnen ze Daan het clubnieuws niet vertellen.

Maar dan zwaait de deur open. Daan stapt met een rood hoofd de klas binnen. 'Ja juf,' zegt hij. 'Ik kon er niets aan doen. Er was een lantaarnpaal gevallen. Hij lag dwars over de weg. Er waren wel zeven mensen nodig om hem weer rechtop te zetten. En, eh... daarom ben ik dus wat later.'

'Ja, ja,' zegt juf. 'Origineel. Weet je zeker dat je niet gewoon te laat uit je bed bent gestapt?'

Daan grinnikt een beetje. 'Dat zou natuurlijk ook kunnen... Maar ja, dat klinkt zo stom.'

De klas begint te gieren. Daan verzint altijd de vreemdste smoezen. De vorige keer was zijn goudvis ontsnapt en had hij hem pas na een halfuur weer gevonden. En de keer daarvoor zei hij dat het stoplicht meer dan een kwartier op rood was blijven staan.

Juf Willeke moet er ook om lachen. 'Nou ja, ga maar gauw zitten. Pak allemaal je rekenboek. We gaan verder met les zeven.' Even later is iedereen rustig aan het werk.

In de pauze stormen Els, Daan en Tom op Koen en Lot af.

'Waarom hebben we vanmiddag een geheime vergadering?' vraagt Els. 'Kun je niet vast zeggen waar het over gaat?'

'Nee,' zegt Koen. 'Vanmiddag om twee uur hoor je het, niet eerder.'

'Je kunt het toch wel aan míj vertellen?' zeurt Daan. 'Ik beloof dat ik het daarna meteen weer zal vergeten.'

'Vergeet het maar,' zegt Koen. 'We zeggen nog niks.'

De rest van de ochtend duurt eindeloos lang. Als de bel gaat, rennen Koen en Lot als eersten naar buiten.

Het is kwart over twee. Koen en Lot zitten met Els en Tom op het gras te wachten.

'Waar blijft Daan nou?' vraagt Els ongeduldig.

'Dat weet je toch?' zegt Tom. 'Gewoon te laat. Maar kijk, daar is hij.'

En ja, hoor. Daan komt als een raket aanscheuren op zijn fiets. 'Hè, waar bleef je nou, dombo?' roept Lot. 'We zitten al de hele tijd op je te wachten.'

'Ja, sorry,' zegt Daan hijgend. 'Ik wist ineens een kortere weg.'

'Dan had je hier dus juist eerder moeten zijn,' merkt Tom op.

'Ja,' zegt Daan. 'Maar hij was helemaal niet korter.'

'Nou ja,' zegt Koen. 'Je bent er tenminste. Hou je vast, want hier komt het grote nieuws: we hebben een clubhuis gekregen.'

Els, Daan en Tom kijken elkaar aan. 'Een clubhuis?'

'Ja,' zegt Koen. 'Bij onze overbuurman.' En dan vertelt hij van het leeggeruimde tuinhuis.

'Dat wil ik zien!' Daan springt enthousiast overeind.

Samen rennen ze naar het huis van buurman Bol, die in de tuin zijn krantje zit te lezen.

'Wat krijgen we nou? Is er brand?' vraagt hij lachend. 'Jullie zijn zo opgewonden.'

'We komen naar het clubhuis kijken!' roept Lot. 'Iedereen vindt het helemaal te gek!'

'Prachtig!' zegt buurman. 'Nou, ga maar gauw. De deur is open.'

Even later stappen ze met z'n vijven het tuinhuis binnen.

'Wat een gaaf huisje!' roept Daan. 'En mogen wij dat hebben?'

'Nou... Jullie mogen het gebruiken,' zegt buurman Bol, die net binnenstapt.

'Mogen we het dan ook zelf inrichten?' vraagt Els.

'Van mij wel,' zegt de buurman. 'Maar jullie moeten er wel zuinig op zijn. Ik wil niet dat er dingen vernield worden.'

'Tuurlijk niet,' zegt Daan. 'Het wordt een, eh... het wordt een paleis.'

Buurman Bol lacht. 'Zo mag ik het horen.'

Koen pakt een stuk papier en een pen uit zijn zak. 'Laten we eens kijken wat we allemaal nodig hebben.'

Samen maken ze een lijst van alles wat ze graag willen hebben.

En daarna gaat iedereen naar huis om te vragen wat ze eventueel mee mogen nemen.

Na een uur begint het clubhuis al aardig vol te raken. Lot heeft een oud tuinbankje en een tafeltje meegekregen. Koen heeft een boekenkastje meegesleept en wat schemerlampjes. Els mocht van haar moeder drie nepplanten en zes glazen meenemen. De moeder van Tom heeft wat oude keukenstoeltjes en posters meegegeven. En Daan heeft een poef en een tas met spelletjes bij zich.
Als buurman Bol na een tijdje komt kijken, weet hij niet wat hij ziet. 'Dat ziet er prachtig uit,' zegt hij tevreden. 'Eigenlijk zouden jullie nog een bord moeten maken. Een bord met de naam van de club erop. Dan hang je dat naast de deur.'
'Tja,' mompelt Koen. 'We hébben nog geen naam.'
'Nou, dan wordt het toch De Club Zonder Naam?' roept buurman lachend.
'Doen we!' roept Els. 'De Club Zonder Naam!'
En daar is iedereen het mee eens.
'Ik heb nog een stuk triplex en wat potten verf in de schuur staan,' zegt buurman Bol.
Daan lacht. 'Is dát even leuk! Dan beginnen we meteen.'
Aan het eind van de middag kijken ze trots en voldaan naar het bord. De ondergrond is rood, en er staat met grote witte letters DE CLUB ZONDER NAAM op.

Een ceremoniemeester en een onverwachte bezoeker

De volgende morgen begint goed. Juf Willeke staat vrolijk voor de klas.

'Zo,' zegt ze. 'Eerst even de agenda bijwerken: volgende week donderdag hebben jullie een toets over de hoofdstukken vijf en zes van je geschiedenisboek.'

'Dat kan niet,' roept Joris meteen. 'Dan moeten we voetballen tegen De Heul.'

'Dat is waar ook,' zegt juf Willeke. 'Nou ja, dan wordt het een week later. Oh nee, dat kan ook niet.'

'Zijn we dan vrij?' vraagt Lot.

'Dat niet. Maar dan ben ik jarig en dan hebben we waarschijnlijk wel iets anders aan ons hoofd.'

'Feest!' roept Fien. 'Wat gaan we dan doen?'

'Geen idee,' zegt juf. 'Ik zorg in elk geval voor lekkere dingen. En ik had gedacht dat het leuk zou zijn als jullie zelf het programma zouden bedenken. Weet je wat? We kiezen een ceremoniemeester, en iedereen die iets wil doen, moet dat maar met hem of haar regelen. Dan is het voor mij nog een verrassing. Wie zou er graag ceremoniemeester willen zijn?'

Fatima, Joris, Bart, Joep en Daan steken hun vinger op.

'Tja,' zegt juf. 'Dat zijn er iets te veel, dus kunnen we het beste maar even loten.' Ze pakt wat stukjes papier en schrijft op elk briefje een naam. Dan maakt ze er vijf propjes van en ze geeft ze aan Fatima. 'Pak er maar één en lees maar voor.'

Fatima vouwt een propje open en roept: 'De ceremoniemeester van het feest is... Daan!'

'Yes!' roept Daan.

'Dat is dan ook weer geregeld,' zegt juf. 'Dus iedereen die iets wil doen op mijn verjaardag moet dat met Daan regelen.'

En dan moet de klas snel aan het werk, want er is nog een hoop te doen.

'En wanneer krijgen we dan die geschiedenistoets?' vraagt Timo.

'Hou je kop, joh!' sist Joris.

Juf Willeke begint te lachen. 'Niet zo boos, Joris. Ik was het echt niet vergeten, hoor. Maar laat die toets voorlopig dan maar even zitten.'

Joris haalt opgelucht adem. Leren is bepaald niet zijn hobby, en geschiedenis al helemaal niet.

Die middag komt de club weer bij elkaar in het clubhuis.

'Laten we meteen plannen bedenken voor het feest van juf,' stelt Daan voor.

'Als we nou eens aan meester Jan vragen of we het speellokaal mogen gebruiken?' zegt Koen. 'Dan gaan we daar een voorstelling doen. Ik wil wel met jou goochelen, Tom.'

'Wij gaan dansen, Els,' zegt Lot.

'En ik dan?' vraagt Daan.

'Jij moet niet zeuren,' vindt Els. 'Tenslotte moet jij alles regelen.'

'Dat is waar,' zegt Daan. 'Ik ga morgen eerst naar meester Jan om dat speellokaal te regelen. Dat vindt hij vast wel goed.'

Ineens gaat de deur van het clubhuis open en er stapt een onbekende man naar binnen.

'Hoi allemaal. Volgens mij moet ik hier zijn. Jullie zitten toch in de klas bij juf Willeke?'

'Klopt,' zegt Els. 'Maar, eh... Hoe weet u dat eigenlijk?'

De man lacht. 'Nou, dat zal ik je vertellen. Ik ben namelijk Jan-Jaap, de vriend van Willeke.'

'U?' roept Daan. 'Ik dacht dat haar vriend veel knapp...' Hij wordt opeens rood. 'Ik, eh... eh... dacht dat-ie eigenlijk veel, eh... lánger was.'

'Hoe lang dan wel?' vraagt Jan-Jaap vrolijk.

'Een, eh... een meter of drie?' mompelt Daan met een vuurrode kop.

'Ben ik ook,' zegt Jan-Jaap. 'Maar vandaag lijk ik toevallig wat kleiner.'

Lot en Els beginnen te proesten.

'Oh,' zegt Daan opgelucht. 'Dan is dat het.'

'Maar hoe weet u nou dat we bij juf Willeke in de klas zitten?' vraagt Els nog maar een keer.

'Ze liet me laatst de klassenfoto zien,' zegt Jan-Jaap. Hij wijst even naar Lot. 'En jou herkende ik aan dat leuke kralenvlechtje in je haar, toen jullie laatst hier in de tuin waren. Ik fietste toen langs. Maar ik moet jullie dus spreken.'

'Waarom eigenlijk?' vraagt Koen. 'We hebben toch zeker niks gedaan?'

'Welnee,' zegt Jan-Jaap. 'Jullie móéten nog iets doen. Ik wil vragen of jullie me willen helpen.'

'Waarmee kunnen we u dan helpen?' vraagt Tom.

Jan-Jaap pakt een stoel en gaat zitten. 'Zeg maar jij, hoor. Dat ge-u klinkt zo stom. Maar eerst moet ik even weten of jullie een geheim kunnen bewaren.'

Iedereen knikt. 'Zeker weten!'

'Mooi zo. Nou, weet je, het gaat hierom. Over twee weken vieren jullie Willekes verjaardag, en dan wil ik haar zo graag verrassen.'

'Waarmee?' vraagt Lot nieuwsgierig.

'Dan wil ik haar in het bijzijn van jullie allemaal vragen of ze met me wil trouwen. Maar het moet wel een verrassing blijven. Niemand mag het weten. Alleen jullie.'

'Wauw!' roept Els. 'Wat romantisch!'

'Maar, eh... wil ze wel met jóú trouwen?' vraagt Daan voorzichtig.

'Tja, daar zeg je me wat,' mompelt Jan-Jaap. 'Dat mag ik wel hopen. Anders sta ik toch wel behoorlijk voor gek.' Maar dan begint hij vreselijk te lachen. 'Nee hoor,' roept hij. 'Het idee! Maak je maar geen zorgen. Ik weet zeker dat ze ook met míj wil trouwen. Maar het zou leuk zijn als ik haar dat op een bijzondere manier zou kunnen vragen. En toen ze vertelde dat jullie haar verjaardag op school gingen vieren, dacht ik: het zou geweldig zijn om het dán te doen. Maar eerlijk gezegd heb ik nog geen idee hoe...'

Koen denkt na. 'Tom en ik gaan goochelen,' zegt hij. 'Als we jou dan eens op de een of andere manier tevoorschijn toveren?'

'Klinkt goed,' zegt Jan-Jaap.

'Dan zouden we eigenlijk een joekel van een doos moeten hebben,' zegt Tom. 'Dan beplakken we die als magische doos en dan zit jij daarin.'

'Briljant!' roept Jan-Jaap. 'Hartstikke leuk!'

'Maar hoe komen jullie aan zo'n doos?' vraagt Daan.

'Oh, maar dat is geen probleem,' zegt Jan-Jaap. 'Mijn buurman heeft een winkel waar ze wasmachines en zo verkopen. Die kan me vast wel aan een grote doos helpen.'

Koen knikt tevreden. 'Dat is dan ook weer geregeld. Als jij de doos regelt, dan bedenken wij de rest wel.'

'Ik zal er morgenmiddag wel één langs brengen,' zegt Jan-Jaap. 'Dat moet lukken.' Hij kijkt op zijn horloge. 'Tjeempie, is het al zó laat? Ik moet gaan, want anders kom ik nog te laat op mijn werk.'

'Wat doe je dan voor werk?' vraagt Lot.

'Jullie mogen het niet verder vertellen,' zegt Jan-Jaap zacht. 'Ik ben geheim agent. Maar niet over praten, hoor. Iedereen denkt dat ik gewoon op kantoor zit, maar dat is maar een dekmantel. En over de rest kan ik natuurlijk niet praten. Nou, tot morgen, hè? En alvast bedankt!' Hij loopt naar zijn auto en rijdt weg.

Daan kijkt Jan-Jaap vol bewondering na. 'Later word ik ook geheim agent,' zegt hij.

Els en Lot beginnen te proesten.

'Nou,' zegt Koen. 'Dat zou ik dan maar geheimhouden.'

'Ach, poep op!' bromt Daan een beetje beledigd.

Een snotje en een mislukte spreekbeurt

Koen tekent poppetjes in zijn schrift, Tom staart naar buiten, en Timo probeert met man en macht iets uit zijn neus te halen.
'Hé, viespeuk.' Juf Willeke kijkt Timo aan. 'Zoek je iets?'
'Er zit iets hards in,' zegt Timo.
'Wat?' vraagt juf nu toch een beetje bezorgd. 'Een kraal of een dopje van het een of ander?'
'Nee,' zegt Timo ernstig. 'Ik denk dat het gewoon snot is.'
Iedereen begint te lachen.
'Dat peuter je er dan op de wc maar uit,' zegt juf. 'Hup, wegwezen. Vraag voor je verjaardag maar een zakdoek. En laat ze er dan meteen een gebruiksaanwijzing bij doen.'
Timo gaat opgewekt naar de wc en is binnen een paar tellen alweer terug.
'Dat heb je snel gedaan,' vindt juf.
'Ja, het zat al los.'
De klas begint opnieuw te lachen.
Juf Willeke schudt haar hoofd. En dan kijkt ze even in haar agenda. 'Joris, volgens mij zou jij vandaag een spreekbeurt houden. Kom maar, want je kunt beginnen.'
Joris wordt vuurrood en loopt langzaam naar voren.
'En? Waar ga je het over hebben?'
Joris kijkt een beetje onzeker in het rond. 'Over mezelf, juf.'
'Apart,' zegt juf. 'Dat is weer eens wat anders. Nou, begin maar. Ik ben benieuwd.'

Joris gaat voor de klas staan. Hij haalt een paar keer diep adem en begint. 'Nou, ik ben dus Joris en, eh...'
Op dat moment vliegt de deur open. Daan stuift naar binnen. 'Gelukkig nog net op tijd!' roept hij hijgend.
'Helemaal niet,' zegt juf Willeke. 'Je bent simpelweg gewoon weer te laat, Daan.'
'Maar ik heb echt heel hard gefietst, hoor.'
'Ja, dat zal best. Maar misschien moet je de volgende keer toch iets eerder opstaan.'
'Dat kan niet,' zegt Daan. 'Want mijn wekker loopt altijd op dezelfde tijd af.'
'Dan zet je hem toch wat eerder!' roept Fien.
'Kan dat dan?' vraagt Daan verbaasd. 'Sorry, juf. Ik zal er meteen naar kijken als ik thuiskom.'
Juf Willeke probeert ernstig te kijken, maar dan begint ze te gieren van het lachen. 'Elke dag een andere smoes,' schatert ze. 'Maar morgen ben je op tijd, want anders heb je een probleem.'
'Dat snap ik, juf. Niet boos meer?'
'Nee,' zegt juf Willeke. 'Ga nu gauw zitten en luister naar Joris, want die was net met zijn spreekbeurt begonnen.'
'Waar gaat het over?' vraagt Daan zacht aan Koen.
'Over hemzelf.'
'Wat kun je daar nou over vertellen?' mompelt Daan.
'Vast een heleboel,' zegt juf. 'Dus mond dicht en luisteren.'
'Zal ik dan maar even opnieuw beginnen?' vraagt Joris.
'Nee, ga maar verder.'
'Goed,' zegt Joris. 'Ik ben dus Joris. En ik ben, eh... geboren. Geboren dus.'

'Wanneer?' helpt juf Willeke.

'Op, eh... op mijn verjaardag,' stamelt Joris.

De klas giert het uit.

'Je meent het,' roept juf. 'En dan zeggen ze nog dat toeval niet bestaat!'

Joris schuifelt wat ongemakkelijk heen en weer en gaat weer verder.

'Nou ja, ik ben dus Joris, en ik heb vandaag een spreekbeurt, en eh...'

'Wacht even,' zegt juf. 'Heb jij je spreekbeurt eigenlijk wel voorbereid?'

Joris wordt rood. 'Niet zo heel erg goed, juf. Ik dacht eigenlijk dat ik wel genoeg over mezelf wist. Maar ja, dat valt een beetje tegen.'

'Zoiets vermoedde ik al. Kom na schooltijd maar even bij me, dan maken we een nieuwe afspraak.'

'Fijn,' zegt Joris opgelucht. Hij loopt terug naar zijn stoel en gaat weer zitten.

'Hartstikke goed, joh,' fluistert Abdoel. Hij steekt zijn duim omhoog. 'Om nooit te vergeten!'

Hij weet namelijk nog goed hoe Joris hem ooit uitlachte toen hij zijn spreekbeurt over pissebedden hield en de pot met pissebedden omviel op het bureau van juf.

'Mm,' mompelt Joris.

De rest van de ochtend gaat op aan rekenwerk en het bespreken van het laatste dictee. Eindelijk gaat de bel. Joris loopt zuchtend de gang in. Hij had vierentwintig fouten. 'Kan ik het helpen! Wat maakt het nou uit of er een d of dt staat? Je hoort het tóch niet. Nou ja... Bij het vorige dictee had ik tweeëndertig fouten en dit keer waren het er maar vierentwintig.'

'Zo zie je maar,' zegt Daan opgewekt. 'Het gaat steeds beter.'

Daarna loopt hij snel door naar het kamertje van meester Jan.

'Is er iets gebeurd?' vraagt meester Jan.

'Nee meester, maar ik wil even iets vragen.'

Dan vertelt Daan van de verjaardag van juf en dat de klas graag het speellokaal wil gebruiken.

Meester Jan lacht. 'Geen probleem. We wilden toch al iets extra's voor juf Willeke doen. Vorig jaar is ze heel lang ziek geweest en toen heeft ze haar verjaardag niet eens kunnen vieren op school. Dus we gaan haar dit jaar eens extra verrassen. Eigenlijk ben ik van plan om haar 's ochtends met de auto op te halen. Dan wil ik dat alle kinderen haar op het plein opwachten. Maar dat moet nog wel geheim blijven.'

'Ik zeg niks,' zegt Daan. 'Ik vertel het alleen aan de leden van de club.'

'Welke club?' vraagt meester Jan verbaasd.

'De Club Zonder Naam.' Apetrots vertelt Daan dat ze met zijn vijven het tuinhuisje van een buurman mogen gebruiken.

'Het is dat ik het al zo druk heb,' zegt meester Jan. 'Anders werd ik ook lid van de club.'

'Misschien wordt het binnenkort wat rustiger?' oppert Daan.

'Nou, dat denk ik niet. Maar als ik een keer tijd heb, hoor je het wel.'

Een grote doos en een geweldig plan

Als De Club Zonder Naam die middag weer bij elkaar komt, staat er een enorme doos in het clubhuis. Jan-Jaap is dus al langs geweest.

'Dat is een flinke,' zegt Tom tevreden. 'Daar past Jan-Jaap vast wel in. Die kunnen we straks tot magische doos gaan omtoveren.'

Els giechelt. 'Nou, hij zal er misschien net inpassen, maar ik denk dat hij wel flink kramp zal krijgen.'

'Nou en?' zegt Daan. 'Hij moet er natuurlijk wel wat voor over hebben. We vouwen hem gewoon op.'

Koen wil de doos aan de kant schuiven, maar hij is loodzwaar. 'Verrek, hij ís helemaal niet leeg.'

Dan ontdekt Lot een briefje op de doos. 'Moet je horen... Een briefje van Jan-Jaap.'

Hoi allemaal,

Ik hoop dat dit exemplaar groot genoeg is.
Van mijn buurman kreeg ik nog een cadeautje voor jullie mee.
Ik heb het maar in de doos gestopt.
Het is geen nieuwe, maar hij doet het nog prima.
Veel succes met het ombouwen tot 'magische doos'.
Ik spreek jullie wel weer.

Groeten, Jan-Jaap

'Wat zou het zijn?' vraagt Els.

Daan begint meteen aan de doos te rukken.

'Voorzichtig, joh!' roept Koen nijdig. 'Hij moet wel heel blijven, hoor. Ga jij maar even aan de kant, lomperd. Ik maak hem wel open.'

'Het is een koelkast!' gilt Els opgewonden. 'Een minikoelkastje. Hoe krijgen we dat ding er nu uit?'

Gelukkig is buurman Bol thuis.

'We hebben een koelkast gekregen!' roept Lot.

Buurman Bol komt meteen kijken. Samen met Koen haalt hij het ijskastje uit de doos.

'Zo,' zegt hij. 'Dat is niet gek! Zet hem maar in die hoek. Daar zit een stopcontact. Is dat even boffen. Die Jan-Jaap moet wel dol op jullie zijn, dat hij dit voor jullie geregeld heeft.'

Zodra de koelkast is aangesloten begint hij zachtjes te ronken.

'Wat zullen we erin doen?' vraagt Tom.

'Ik heb nog een paar lege Spa-flessen in de bijkeuken liggen,' zegt de buurman. 'Ik zal ze met water vullen en dan zet je die erin. Dan hebben jullie altijd koud water als je dorst hebt.' Hij gaat meteen naar binnen en komt terug met twee flessen, een leverworst en een stuk kaas. 'Kijk eens,' zegt hij. 'Alvast wat proviand om de koelkast in te wijden.'

'Oh, wat leuk!' roept Els. 'Bedankt, buurman Bol.'

De buurman kijkt Els stomverbaasd aan. 'Hóé heet ik?' vraagt hij dan.

'Buurman Bol, toch?' vraagt Els een beetje onzeker.

'Hoe kom je daar nu bij? Ik heet Van Barneveld.'

Lot begint te giechelen. 'Ja, dat is ook zo,' zegt ze. 'Maar toen

27

Koen en ik klein waren noemden we u altijd buurman Bol. En ja... Nu nog steeds, eigenlijk.'

Buurman Bol kijkt eens naar zijn buik en begint te bulderen van het lachen. 'Niet gek gevonden!' roept hij dan. 'Hij is inderdaad wel een tikje aan de bolle kant.'

'Ik denk dat we Bol misschien een wat makkelijker naam vonden,' zegt Koen. 'Eerlijk gezegd wist ik niet eens dat u Van Barneveld heet.'

'Maakt niks uit,' zegt de buurman. 'Ik vind het wel geestig. Ik zal alleen wel genoeg moeten snoepen om mijn naam eer aan te blijven doen. Maar dat gaat me vast lukken.'

Even later zijn ze allemaal druk bezig.

Koen en Tom knippen gouden en zilveren sterren uit om de doos mee te beplakken.

Els en Lot oefenen in de tuin een mallotige circusdans, verkleed in oude clownspakken die nog bij Els op zolder lagen.

En Daan kluift op zijn pen en probeert zuchtend een goed programma voor het feest op papier te zetten. Ineens begint hij te schreeuwen: 'De krant! De KRANT!'

'Hoezo, de krant?' vraagt Koen. 'Waar heb je het over?'

'Hij zit weer eens te bazelen,' bromt Tom.

'Ach, poep op!' roept Daan kwaad. 'Je weet niet eens waar ik het over héb!'

Tom en Koen halen hun schouders op.

'Vertel het dan maar,' zegt Koen met een zucht.

'Luister,' zegt Daan opgewonden. 'Als Jan-Jaap tijdens het feest uit jullie magische doos getoverd wordt om juf Willeke ten huwelijk te vragen, dan moet daar een stuk over in de krant komen. Dat vindt iedereen toch geweldig om te lezen?'

'Ja,' zegt Koen een beetje smalend. 'Maar als juf dat in de krant leest, weet ze het al, sukkel. Dan kunnen we nu meteen wel stoppen met het beplakken van die doos.'

'Tjonge jonge,' blaast Daan. 'Jíj bent pas dom. Natuurlijk mag juf het niet weten! We gaan van tevoren naar de krant en vertellen daar in het geheim wat er tijdens het feest gaat gebeuren. En dan vragen we of ze een fotograaf kunnen sturen, en of er de dag na het feest een stuk in de krant geplaatst kan worden over wat er gebeurd is.'

Nu zijn Koen en Tom even stil.

'Nou,' zegt Tom dan vrolijk. 'Je bent toch niet zo'n sukkel als ik dacht. Dit is echt een fantastisch plan.'

'Ja,' zegt Koen. 'Sorry, Daan. Goed bedacht. En we vertellen het aan niemand, zelfs niet aan Els en Lot. Dan is het voor hen ook nog een verrassing. We moeten er goed over nadenken, en misschien kunnen we dinsdagmiddag met zijn drieën naar de krant. Dan gaan Els en Lot altijd naar streetdance. Ik zal wel bellen om een afspraak te maken met iemand van de redactie.'

'Afgesproken,' zegt Daan.

Een etterbak en een schitterend doelpunt

Hoewel iedereen druk is met de voorbereidingen van het feest, staat er nu even iets anders op het programma. Vandaag is de jaarlijkse voetbalwedstrijd tussen hun eigen school, De Bron, en basisschool De Heul. Op de een of andere manier blíjft iedereen het spannend vinden, hoewel De Bron de laatste drie jaar niet meer gewonnen heeft.

Het is prachtig weer. Bij de ingang van het veld staan twee enorme geluidsboxen, die de ene na de andere muzikale hit over het veld blazen. Het is al knap druk. De meiden van de beide scholen staan al aan de kant om aan te moedigen. En er zijn ook een paar ouders die de wedstrijd graag willen zien.

Timo komt tegelijk aanlopen met Tom.
'Hoi,' zegt Timo.
Maar Tom zegt niks terug.
'Is er iets?' vraagt Timo.
'Nee. Ik heb gewoon niet zo'n zin.'
Timo kijkt Tom verbaasd aan. 'En je bent altijd zo gek op voetballen!'
'Mm,' zegt Tom kortaf.
Timo haalt zijn schouders op. Hij snapt er niks van.
Meester Jan loopt samen met juf Willeke rond. Hij heeft een grote EHBO-koffer bij zich. Hij is namelijk de verzorger van het team van De Bron.

'Zet hem op, mannen!' roept hij als Tom en Timo langslopen. Timo steekt lachend zijn duim op. Maar Tom loopt nors kijkend door.

'Wat zou er met Tom zijn?' vraagt Lot. 'Hij is zo stil. Zo anders.'

'Ik weet het niet,' zegt Koen. 'Misschien heeft hij geen zin.'

Lot denkt even na. 'Ik weet het al. Stom dat ik daar niet eerder aan gedacht heb. Het heeft vast met die jongens van De Heul te maken. Je weet wel, die etterbakken, die Tom altijd zo pestten toen hij daar nog op school zat. Een paar weken geleden liep ik met Tom naar huis en toen gaf die Bert hem zomaar een loeiharde schop.'

'De rotzak,' zegt Koen. 'Ja, dat zal het dan wel zijn. Maar misschien valt het straks nog mee.'

'Opschieten, jongens!' schreeuwt meester Jan. 'We gaan beginnen.'

Samen lopen ze naar het veld. De scheidsrechter staat al te wachten.

De Bron wint de toss en mag aftrappen. Koen schiet de bal meteen naar voren. Tom rent er samen met Timo achteraan.

Dan vliegt een jongen van De Heul op de bal af, maar Timo is net iets eerder. Hij schiet de bal naar Tom. Tom wil de bal wegtrappen, maar dan...

'Au!' gilt Tom. Hij valt op de grond en grijpt naar zijn knie.

Lot staat aan de kant en stoot Els aan. 'Dat is die Bert,' zegt ze kwaad.

De scheidsrechter fluit meteen.

'Sorry, scheids,' zegt Bert. 'Ongelukje.'

'Voortaan doe je wat rustiger,' zegt de scheidsrechter streng.

32

'Goed, scheids,' bromt Bert. Maar zodra de scheidsrechter zich
omdraait, steekt hij zijn middelvinger op naar Tom.
'Gaat het?' vraagt Koen.
Tom knikt. Hij loopt nog wat moeizaam, maar de pijn zakt al
weg.

Timo neemt de vrije trap. Tom probeert de bal nog te koppen,
maar hij krijgt een duw, zodat hij mist.
'Last van de wind?' sist Bert. 'Je waaide zomaar opzij, man.'
Tom rent terug naar zijn eigen helft.
Het spel gaat op en neer, maar de keepers doen hun werk goed.
Vlak voor tijd is het nog steeds nul-nul.
Tom heeft intussen al de nodige schoppen en duwen gehad.
Het lijkt wel alsof iedereen van De Heul het op hem gemunt
heeft. Tom voelt zich rot. Aan de ene kant kan hij wel huilen,
maar aan de andere kant is hij verschrikkelijk kwaad.
Ineens krijgt Joris de bal. Hij schiet hem met een enorme boog
naar voren.
Tom vliegt erachteraan. Zo hard heeft hij nog nooit gelopen.

Dan ziet hij de bal vlak voor zich op de grond komen. Hij neemt hem met een fantastische beweging mee. Er is nog maar één speler tussen hem en de keeper te zien. Tom speelt de bal tussen de benen van de verdediger door en rent verder. Bert rent achter hem aan.

Iedereen langs de kant houdt zijn adem in. Tom is nu vlak voor de keeper van De Heul. Hij haalt uit voor het laatste schot.

'Kijk uit!' brult Koen. Maar het is al te laat.

Met een enorme schop maait Bert Tom onderuit. Tom slaat tegen het gras. Hij schreeuwt het uit van de pijn.

Els, die het vanaf de kant ziet, krijgt tranen in haar ogen. Wat gemeen!

De scheidsrechter fluit. Hij is razend. 'Strafschop!' roept hij tegen Bert. 'Ben je helemaal gék geworden! Je had zijn benen wel kunnen breken.'

Bert haalt zijn schouders op. 'Dat komt ervan als we tegen zulke watjes moeten voetballen,' zegt hij brutaal.

'Eruit!' schreeuwt de scheidsrechter met een rood hoofd van woede. Hij haalt een rode kaart uit zijn zak. 'Wegwezen jij! En snel ook!'

Meester Jan is het veld al op gerend. Hij knielt naast Tom op de grond. 'Gaat het?' vraagt hij.

Met een spons maakt hij de bloedende schram schoon op Toms scheenbeen. Daarna wikkelt hij er verband omheen en plakt het met pleisters vast.

Tom gaat weer staan. De andere spelers van De Bron staan om hem heen. Tom loopt trekkebenend rond.

'Kun je nog doorspelen?' vraagt meester Jan bezorgd.

Tom knikt. 'Het gaat wel weer.'

'Jij bent ook een harde,' zegt de scheidsrechter vol bewondering. Hij pakt de bal van de grond en fluit. 'We gaan verder. Wie neemt de strafschop?'

Daan pakt de bal. Hij is de strafschopspecialist van De Bron. Maar Tom loopt met grote passen naar hem toe. 'Hier die bal,' zegt hij afgemeten. Hij pakt de bal uit Daans handen en legt hem op de stip.

'Ik zou de strafschoppen nemen,' zegt Daan verontwaardigd. 'Dat was de afspraak.'

'Stil,' zegt Koen. 'Nu moet hij het doen.' Hij geeft Daan een por in zijn zij.

Met een verbeten gezicht en vlammende ogen kijkt Tom naar de bal.

Zodra de scheidsrechter gefloten heeft, neemt hij een aanloop en schiet. De bal vliegt als een raket langs de keeper in het net. Koen, Joris en Daan rennen op Tom af. En de meisjes van De Bron staan juichend aan de kant. Alleen de spelers van De Heul en een paar jongens die bij Bert in de buurt staan, kijken woedend naar Tom.

Dan fluit de scheidsrechter af.

'We hebben gewonnen!' gilt Lot. En juf Willeke gilt net zo hard mee.

Even later krijgen ze de prijs: een prachtige zilveren beker!
Tom mag hem aanpakken. Stralend rent hij met de andere spelers langs het publiek. 'We hebben gewonnen! We hebben gewonnen!'

Hij rent ook langs de plek waar Bert nog met een woest gezicht staat te kijken.

'Wacht maar. Ik krijg je nog wel een keer,' zegt Bert vals.
Niemand hoort het, maar Tom wel. Even schrikt hij, maar dan rent hij weer verder. Verder langs het juichende publiek. Ondanks alles kan zijn dag niet meer stuk.

Een olifantenopstel en achtentwintig lieve briefjes

Als Tom de volgende morgen de school binnen loopt, staat de beker al te pronken in de prijzenkast.

'Zo, kanjer,' zegt meester Jan in de gang. 'Dat heb je grandioos gedaan!'

Tom lacht een beetje verlegen en loopt snel door naar het lokaal.

Even later komt Daan binnen. 'Je raadt nooit wie ik gisteravond gezien heb!' zegt hij opgewonden.

'Sinterklaas,' roept Joris.

'Mis! Meester Dirk. En hij deed gek, joh! Het was net alsof hij met zijn ogen dicht op de fiets zat. Hij slingerde van links naar rechts over de weg.'

'Ja, hoor,' zegt Abdoel. 'Het zal wel weer. Jij altijd met je verhalen.'

'Hou je mond,' bromt Daan. Hij gaat met een boos gezicht op zijn stoel zitten en zegt niets meer. Ze geloven hem toch nooit.

Op dat moment stapt meester Dirk binnen.

'U hier?' vraagt Bart verbaasd.

'Ja, ik,' zegt meester Dirk een beetje sloom. 'Ga snel zitten, want ik voel me toch al niet zo lekker.'

'Is juf Willeke ziek?' vraagt Koen.

'Ze moest even naar de tandarts,' zegt meester Dirk. 'Vanmiddag is ze er weer. En nu aan de slag, want er moet een hele... een hele hoop gebeuren.' Hij geeft Timo een stapel blaadjes.

'Deel jij maar even uit. En niemand vergeten.'
'Een overhoring?' roept Joris geschrokken.
'Zoiets,' mompelt meester Dirk. 'Een, eh... een opstel. Een opstel, ja.' Hij haalt zijn flesje uit zijn zak en neemt een slok.
'Dorst, meester?' vraagt Els.
Meester Dirk knikt. 'Dat kun je wel zeggen. Heeft iedereen papier? Schrijf dan maar eens een heel lang opstel over... over, eh...'
'Olifanten?' vraagt Daan proestend.
'Goed idee,' zegt meester Dirk. 'Een heel goed idee... Een opstel over olifanten dus. Aan de slag allemaal en mond dicht.'
'Als je nog eens wat weet,' sist Koen naar Daan.
'Het was toch maar een geintje? Wist ik veel dat we dat écht moesten doen.'
'Stil daar,' roept meester Dirk terwijl hij het flesje weer uit zijn zak haalt.
'Wat praat hij raar,' fluistert Lot.
'Lottepot, jij mag niet platen,' mompelt meester Dirk.
Hij staat naast zijn tafel en zwaait een beetje heen en weer, alsof hij op een schip staat. Ineens valt hij bijna. Hij kan zich nog net aan de tafel vasthouden. Stapels schriften vallen op de grond, maar de tafel blijft overeind staan.
'Voelt u zich wel goed?' vraagt Lot bezorgd.
'Plima, plima,' zegt meester Dirk. 'Echt plima.'

Niemand lacht. Iedereen kijkt geschrokken naar meester Dirk, die zwetend voor de klas staat.
Hier is écht iets mis, denkt Tom. Ik weet wel niet wat, maar er moet nu iets gebeuren.

Plotseling staat hij op en loopt de klas uit.

'Hé, wat gaan wij doen?' lalt meester Dirk.

Maar Tom loopt gewoon door.

Even later komt hij terug met meester Jan.

'Dirk, ik denk dat wij even moeten praten,' zegt meester Jan.
Dan kijkt hij de klas in. 'Willen jullie alsjeblieft zo vriendelijk
zijn om gewoon rustig door te werken? Daar zouden jullie me
echt een groot plezier mee doen.' Daarna pakt hij meester Dirk
bij de arm en neemt hem mee de gang in.

Het is een tijdje doodstil in de klas.

'Wat deed hij raar,' zegt Abdoel dan.

'Kun je wel zeggen,' mompelt Joris.

En dan blijft het weer stil. Iedereen is een beetje van slag.

Pas na een hele tijd gaat de deur van de klas weer open. Het is
meester Jan. Hij schuift een stoel voor de klas en gaat zitten.

'Is meester Dirk soms ziek?' vraagt Els.

Meester Jan knikt ernstig. 'Zo zou je het misschien wel kunnen
noemen. Het gaat niet zo goed met hem. Ik denk dat ik het
beste maar kan vertellen wat er aan de hand is. Anders horen
jullie later misschien verhalen van anderen. En eigenlijk heb ik
liever dat jullie het uit mijn mond horen.'

Na een korte stilte praat meester Jan weer verder: 'Twee jaar geleden is het dochtertje van meester Dirk plotseling overleden.
Hij werkte toen nog op een andere school. Zijn dochtertje was
net anderhalf jaar geworden.'

'Wat erg,' fluistert Els geschrokken.

'Ontzettend erg,' zegt meester Jan. 'Meester Dirk was toen zo
verdrietig dat hij meer dan een jaar niet heeft kunnen werken.

Op een bepaald moment heeft hij gevraagd of hij op deze school af en toe mocht komen invallen. Om alles weer een beetje langzaam op te bouwen. Hij vertelde dat het wat beter met hem ging. We waren daar heel blij mee, want meester Dirk is een aardige vent, en het is best lastig om een invaller te vinden als iemand ineens ziek is of vrij heeft. Of, zoals vanmorgen, toen juf Willeke echt even naar de tandarts moest. Maar... wat we níét wisten, is dat meester Dirk door alle problemen steeds meer alcohol is gaan drinken.'

'Oh,' roept Lot verbaasd. 'Dus daarom hing er soms zo'n raar luchtje om hem heen.'

'En in zijn flesje zít dus helemaal geen water!' zegt Tom.

'Nee,' zegt meester Jan. 'Dat zal wel niet, want volgens mij had hij al flink gedronken toen ik hem sprak. Meester Dirk vertelde me net dat iedereen geloofde dat het beter met hem ging, maar dat dat dus eigenlijk helemaal niet zo was. En eerlijk gezegd begonnen we de laatste tijd op school ook al zoiets te vermoeden. Vorige week hoorden we bijvoorbeeld dat hij 's avonds slingerend op zijn fiets door het dorp reed.'

'Zie je wel dat ik gelijk had!' roept Daan opgewonden.

'Had jij dat dan ook gehoord?' vraagt meester Jan verbaasd.

'Ik heb het zelf gezíén! Gisteravond. Maar niemand geloofde me.'

Iedereen is stil.

'Maar... waar is meester Dirk dan nu?'

'Meester Martijn brengt hem even naar huis. En daarna moeten we maar verder zien.'

'En komt hij nog terug?'

'Voorlopig in elk geval niet,' zegt meester Jan. 'Hij moet eerst helemaal beter worden.'

'Maar wie krijgen wij dan?' vraagt Fatima.

'Vanochtend zullen jullie het met mij moeten doen. En nu we het er toch over hebben... Waar waren jullie eigenlijk mee bezig?'

Abdoel lacht. 'Met een opstel over olifanten.'

'Ja,' moppert Joris. 'En ik weet helemaal níks over olifanten.'

'Dat treft,' zegt meester Jan. 'Ik weet er namelijk ook niets van.'

'Mogen we niet over iets anders schrijven?' vraagt Els. 'Kunnen we niet allemaal een lief briefje aan meester Dirk schrijven. Dat we hopen dat hij gauw weer terugkomt en zo...'

'Nou...' zegt Joris. 'Dat hij gauw weer béter wordt.'

'Let op het verschil,' zegt meester Jan met een lachje. Maar dan kijkt hij weer ernstig. 'Ik denk dat dat een goed plan is, jongens. Ik weet zeker dat meester Dirk dat fijn zal vinden. Hij heeft het al moeilijk genoeg.'

En zo komt het dat er die middag achtentwintig lieve briefjes in een grote envelop op de post gaan.

Een afspraak bij de krant en een loslopende tijger

Het is dinsdag. Koen heeft de krant gebeld om een afspraak te maken. En vanmiddag hebben de jongens een gesprek met de hoofdredacteur.

'Ik hoop maar dat het gaat lukken,' zegt Tom.

'Ach, natuurlijk,' roept Daan. 'Die mensen moeten elke dag opnieuw de krant vullen. Dan is het toch hartstikke handig als iemand met zo'n fantastisch verhaal aankomt?'

'Dat is wel waar,' vindt Koen. 'Nou ja, we doen gewoon ons best. Vanmiddag om vier uur zijn we er.'

Het is vijf voor vier. Tom en Koen staan voor het gebouw van de krant.

'Waar blijft die stommerd nou?' zegt Koen geërgerd.

Tom kijkt op zijn horloge. 'Het is nog geen vier uur. Hij heeft nog vijf minuten.'

'Ja, maar je zult zien dat-ie gewoon weer te laat is.'

Na een poosje horen ze de klok vier uur slaan. Tom en Koen kijken rond, maar Daan is in geen velden of wegen te bekennen.

'We gaan nu naar binnen,' zegt Tom beslist. 'Dan is die eikel er maar niet bij.'

'Wat kan ik voor jullie doen?' vraagt een mevrouw die achter de balie in de hal zit.

'We hebben een afspraak met meneer De Boer,' zegt Koen.

De vrouw bladert even in een agenda. 'Ja, hier staat het. Maar jullie zouden toch met zijn drieën komen?'

'Klopt,' zegt Tom. 'Maar Daan is er nog niet.'

'Tja,' zegt de vrouw. 'Dan moet het maar zonder Daan. Lopen jullie maar door. Derde deur aan je rechterhand. En mocht die andere jongen nog komen, dan stuur ik hem wel door.'

Koen en Tom lopen de gang in. Bij de derde deur blijven ze staan. Tom klopt aan en de deur gaat meteen open.

'Welkom, heren,' zegt een grote man. Hij geeft de jongens een hand. 'Mijn naam is De Boer, en ik ben hoofdredacteur van deze krant.'

Tom en Koen stellen zich ook voor.

'Pak een stoel en ga zitten. Koffie, thee, biertje, sigaartje erbij? Of toch maar liever een cola?'

Even later zitten de jongens allebei achter een glas cola.

'Vertel eens,' zegt meneer De Boer. 'Jullie hadden groot nieuws. Ik luister.'

'Nou, het zit zo...' begint Koen.

Maar dan gaat de deur open en stapt Daan de kamer in. 'Ik kon er niks aan doen!' zegt hij hijgend. 'Helemaal niks. Er schoot ineens een tijger de weg over en toen schrok ik zo dat ik tegen een hek aanreed, en toen was het hek kapot, en toen heb ik het even gemaakt. Want je kunt natuurlijk niet zomaar doorrijden alsof er niets gebeurd is. Enne, nou ja, nu ben ik dus een beetje te laat.'

'Waar zag je die tijger precies?' vraagt meneer De Boer.

'Eh... bij het Emmaplein.'

'Moment,' zegt meneer De Boer. Hij pakt de telefoon en gaat

bellen. 'Ja, hallo Peter. Je spreekt met De Boer. Je moet even naar het Emmaplein. Daar schijnt een tijger los te lopen. Wat?... Ja, dat weet ik ook niet. Misschien ontsnapt uit een circuswagen of zo? Pak in elk geval je camera en ga er direct naar toe.'

De Boer legt de telefoon neer en keert zich weer naar de jongens. 'Ziezo,' zegt hij. 'Zulk nieuws kunnen we altijd wel gebruiken.'

Daan is inmiddels zo rood als een tomaat. 'Mag ik misschien even naar de wc?' vraagt hij benauwd. 'Ik moet vreselijk nodig!'

'Natuurlijk. Het toilet is tegenover mijn kamer. Ga maar gauw.'

En dan rent Daan de kamer uit.

'Zo,' zegt meneer De Boer dan. 'Ga verder, Koen.'

'Onze juf gaat trouwen,' vertelt Koen. 'Maar, eh... Ze weet het zelf nog niet.'

'Lijkt me lastig,' zegt meneer De Boer. 'Leg eens uit hoe dat dan precies zit.'

En dan vertelt Tom het hele verhaal. Over de verjaardag van juf en Jan-Jaap, die De Club Zonder Naam had gevraagd om hem te helpen. Over de magische doos waaruit Jan-Jaap tevoorschijn gegoocheld wordt en die juf Willeke dan onverwacht ten huwelijk gaat vragen.

Meneer De Boer begint te lachen. 'Nou, het is weliswaar geen wereldnieuws, maar ik denk dat veel mensen van zo'n verhaal zullen genieten. Tenminste, het is wel te hopen dat jullie juf ja zal zeggen.'

'Dus u vindt het een goed plan?' vraagt Koen hoopvol.

'Absoluut. Ik stuur donderdag een fotograaf, die ook leuke stukjes kan schrijven, naar De Bron. Hoe laat moet hij er zijn?'

'Om negen uur, als het kan!' zegt Tom. 'En wilt u hem dan zeg-

gen dat hij niet mag vertellen waarvoor hij precies komt, want anders weet iedereen al wat er gaat gebeuren.'

'Ja, en dat kan natuurlijk niet,' zegt meneer De Boer lachend. 'Maak je geen zorgen. Ik zal hem zeggen dat hij maar een of andere smoes moet bedenken.'

'Fijn,' zegt Koen opgetogen. 'Hartstikke bedankt, meneer!'

'Geen dank. Graag gedaan. Maar nu ga ik eerst even kijken

waar die vriend van jullie is gebleven. Zo meteen zit hij opge-
sloten op de wc.'

Een paar minuten later komt hij terug. 'Ik hoorde van de recep-
tioniste dat hij al weg is. Niet zo gek misschien. Hij was ook zo
geschrokken. Het zal je maar gebeuren dat je ineens een los-
lopende tijger ziet...'

Dan rinkelt de telefoon op het bureau. 'Nou jongens, tot ziens
dan maar, ik moet weer aan het werk. En veel plezier op het
feest!'

Terwijl Koen en Tom de gang in lopen, horen ze nog een deel
van het telefoongesprek.

'Met De Boer... Geen tijger gevonden? Niemand heeft iets gezien... Ja, dat kan natuurlijk. Zo'n beest kan razendsnel zijn...
Informeer eens bij de politie...'

'Ongelooflijk! Wat is die Daan toch een sukkel,' zegt Koen zodra ze buiten op de stoep staan.

'Gelukkig is het wel goed afgelopen,' zegt Tom. 'Dat stuk in de
krant komt er, en dat is tenslotte het belangrijkst.'

Maar dan schrikken ze zich een ongeluk, want plotseling springt
Daan achter een struik vandaan.

'Hé, hoe ging het?'

'Waarom deed je nou zo idioot?' vraagt Koen nijdig.

'Tja,' zegt Daan. 'Ik kon toch ook niet helpen dat ik te laat was?
Ik schrok me rot toen die man ineens een fotograaf ging bellen.'

Tom moet nu toch een beetje lachen. 'Ben je er daarom zo snel
vandoor gegaan? Trouwens, hoe groot was die tijger van je
eigenlijk?'

'Zoiets,' zegt Daan. Hij doet zijn handen een stukje uit elkaar.
'Ach, joh,' zegt Koen smalend. 'De kat van mijn oma is nog groter.'
Daan kijkt naar zijn schoenen. 'Misschien was het wel geen echte tijger,' zegt hij. 'Maar hij had wel vlekken.'
'Tijgers hebben geen vlekken, Daan,' zegt Tom. 'Die hebben strepen.'

Ineens komt er een politiewagen langzaam naast hen rijden en stopt dan.
De jongens kijken elkaar geschrokken aan.
Een van de agenten draait zijn raampje open. 'Niet schrikken,' zegt hij. 'We bijten niet. We willen alleen even iets vragen. Hebben jullie toevallig ook iets bijzonders gezien?'
'Nee,' zegt Tom. 'Wat zouden we dan gezien moeten hebben?'
'Een of ander groot beest misschien?' vraagt de agent.
'Nee, joh!' roept Daan haastig. 'Er zijn geen tijgers hier.'
'Hoe weet je dat we een tijger zoeken?' roept de andere agent stomverbaasd.
Daan wordt weer zo rood als een kreeft. Hij begint een beetje te stotteren. 'Ik, eh... Ik...'
Tom zucht eens diep. 'Laat mij het maar vertellen.'
En dan vertelt Tom van de afspraak bij de krant en dat Daan veel te laat was. En dat Daan altijd smoezen verzint, en dat hij dit keer had verteld dat hij was opgehouden doordat er een tijger op straat liep. Dat de hoofdredacteur er toen meteen een fotograaf op af stuurde, en dat Daan toen niet meer wist wat hij moest doen.
'Is dat zo?' vraagt de agent aan Daan.

Daan knikt.

De agenten beginnen allebei te proesten. 'Wat een bak! En dat die krant daar zomaar in trapt! Maar weet je wat? Wij zullen wel even doorgeven dat we de zaak onderzocht hebben en dat het allemaal een misverstand is.'

'Dat zou wel heel fijn zijn,' zegt Koen.

'Nou!' roept Daan opgelucht. 'Hartstikke aardig!'

'Vinden we zelf ook,' zegt de agent. 'Maar bewaar je smoezen de volgende keer maar voor school, want dan hebben wij er geen last van.'

En dan rijdt de wagen weer weg.

'Pfff...' zegt Tom. 'Dat hebben we ook weer gehad.'

Even later komen ze bij het huis van Daan. Zijn moeder staat al voor het raam te wachten. Ze doet meteen open. 'Wat ben je laat!' roept ze boos. 'Waar was je nou? Je wíst toch dat we vandaag om vijf uur moesten eten?'

'Maar we moesten naar de krant,' zegt Daan. 'En toen vertelde ik dat ik een tijger had gezien. En toen ging die man meteen bellen en toen kwamen er twee agenten en...'

'Hou op, Daan! Gáán we weer! Vertel nu gewoon eens een keer de waarheid! Dit keer krijg je straf, want ik ben die smoezen echt spuugzat!'

Lachend lopen Koen en Tom samen verder.

'Arme Daan,' roept Tom schaterend. 'Vertélt hij een keer de waarheid, en dan krijgt hij straf!'

De Club Zonder Raam en een onbekende vijand

Koen, Lot en Els lopen naar het huis van buurman Bol.
De buurman staat ze bij het hek al met een ernstig gezicht op te wachten.
'Is er iets aan de hand?' vraagt Lot een beetje geschrokken.
'Kijk zelf maar,' zegt buurman Bol.
De kinderen lopen meteen door naar het clubhuis. En dan zien ze het. Het raam van het clubhuis is ingegooid. Overal ligt glas. En op het bord is de N van naam doorgestreept, en er is met krijt een R boven geschreven. Er staat nu DE CLUB ZONDER RAAM.
'Wie heeft dat nou geflikt?' roept Koen kwaad.
'Geen idee,' zegt de buurman. 'En ze zijn ook binnen geweest.'
Hij doet de deur open en wijst op de enorme ravage. Alles is overhoop gehaald. De magische doos ligt in stukken op de grond, de posters zijn van de muur gerukt, en de nepplanten liggen op de grond.
Lot kan wel huilen. Met tranen in haar ogen staat ze in de deuropening.
Op dat moment komen Tom en Daan eraan.
'Wat is HIER gebeurd?' schreeuwt Daan verontwaardigd.
'Weet jij het, weet ik het,' zegt buurman Bol.
'Tsss!' sist Tom kwaad. 'Wie doet nu zoiets?'

Plotseling ziet Koen iets tussen de struiken liggen. Het is een verkreukeld, opgevouwen papiertje. Hij pakt het op en vouwt het open.

50

'Wat is dat?' vraagt buurman Bol.

'Een overhoring,' zegt Koen. 'En dit zou wel eens het papier van de dader kunnen zijn.' Hij geeft de verkreukelde overhoring aan buurman Bol.

BERT DE VROEGE staat er boven aan het blaadje geschreven.

'Wie is dat?' vraagt de buurman.

'Bert is een van de jongens die Tom op zijn vorige school altijd zo pestten.'

'Is dat zo?' vraagt buurman aan Tom.

Tom knikt. Hij ziet spierwit. Nadat hij even heel diep adem heeft gehaald, vertelt hij hoe het allemaal ging toen hij nog op basisschool De Heul zat. En hoe blij hij was dat Koen en Lot later met zijn moeder waren gaan praten, en dat hij uiteindelijk bij hen in de klas kwam. Maar ook dat de jongens van De Heul hem

nog steeds wel eens uitschelden of schoppen. En tot slot vertelt Tom wat Bert aan het eind van de voetbalwedstrijd gezegd heeft. 'Wacht maar, ik krijg je nog wel een keer,' zei hij toen.

'Zei hij dat?' roept Daan kwaad.

'Nou,' zegt Koen. 'Dan is het eigenlijk wel duidelijk.'

En dan is het even stil.

Els ziet tot haar schrik dat er een traan over Toms wang naar beneden glijdt. Driftig veegt hij hem weg. Ongemerkt aait Els hem even zachtjes over zijn rug.

'Wat een verhaal,' zegt buurman Bol hoofdschuddend. Hij gaat op het tuinbankje zitten en staart een poosje voor zich uit. 'Ik denk dat ik maar eens ga praten op die school,' zegt hij dan. 'Het wordt tijd dat er een eind komt aan dit gedonder. Als ze aan één van jullie komen, komen ze aan mij. Blijven jullie maar hier, want ik ga nu meteen.' Buurman steekt het papier in zijn zak, pakt zijn fiets en rijdt weg.

De kinderen kijken hem verslagen na.

Even later zien ze Jan-Jaap die uit zijn auto stapt.

'Wat hebben jullie nou gedaan?' roept hij verbaasd.

'Niks,' zegt Els treurig.

'Noem dat maar niks!' zegt Jan-Jaap. 'Ik wilde vragen hoe het met de plannen voor het feest staat en of de doos al versierd is. Maar het lijkt wel alsof hier een bom ontploft is. Dit is toch niet een van jullie goocheltrucs, hoop ik?'

Somber laat Koen zien wat er gebeurd is, en hij laat ook de vernielde magische doos zien.

'Zijn ze nou helemaal gek geworden!' zegt Jan-Jaap. Hij kijkt op zijn horloge. 'Ik heb nog een uur. Tom, jij gaat met me mee. We

gaan een nieuwe doos regelen, en ik ken iemand bij de video-
theek die absoluut nog een stel mooie posters heeft liggen. Als
jullie intussen alles opruimen, dan zijn we zo terug.' Hij geeft
Tom een klapje op zijn schouder. 'Het komt allemaal goed,
jongen. Maak je maar geen zorgen.'

Als buurman Bol terugkomt, is al het glas opgeruimd en ziet
het clubhuis er weer toonbaar uit. 'Dat hebben jullie snel gedaan,' prijst hij.
Lot vertelt dat Jan-Jaap geweest is en dat er nieuwe posters han-
gen, en dat ze ook weer een nieuwe doos hebben.
'Prachtig,' zegt buurman. 'Dat is dan vast weer geregeld.'
'En...?' vraagt Tom gespannen. 'Wat zeiden ze bij De Heul?'
'Ik heb met de directeur, meester Dijkemans, gesproken en
hem het hele verhaal uitgelegd. Ik kan die ruit laten maken en
hij zorgt er dan voor dat de rekening betaald wordt. Hij gaat
morgen meteen met die Bert praten en ook met zijn moeder.
Meneer Dijkemans denkt dat Bert het waarschijnlijk niet in zijn
eentje gedaan heeft, omdat hij altijd een paar meelopers om
zich heen verzamelt. Het is trouwens niet de eerste keer dat die
knul voor problemen zorgt. Het schijnt dat het bij hem thuis
niet erg goed gaat en dat hij ongelooflijk lastig is. Maar meneer
Dijkemans heeft beloofd dat hij er alles aan gaat doen om te
voorkomen dat je weer problemen met hem krijgt, Tom.'
Tom knikt. 'Dank u wel,' zegt hij zacht.
'Geen dank. Ik ga nu meteen iemand bellen om te vragen of er
zo snel mogelijk een nieuwe ruit ingezet kan worden. Dan kunnen jullie morgen misschien die R op het clubbord weer in een
N veranderen.'

Een afschuwelijke nachtmerrie en zes moorkoppen

Het is nacht. Na heel lang woelen en draaien is Tom eindelijk in slaap gevallen. Maar hij is erg onrustig. Hij droomt dat Bert achter hem aanrent. Dwars door de school heen, door de supermarkt en over het voetbalveld.

Langzamerhand komen er steeds meer jongens bij, die er allemaal precies zo uitzien als Bert.

'We krijgen je nog wel!' roepen ze. 'We krijgen je nog wel! Wacht maar, jongetje. Je bent nog niet van ons af. Je zult eens zien wat er gaat gebeuren. We rammen je nog eens helemaal in elkaar...'

'Help!' schreeuwt Tom doodsbang. 'Help! Help me dan toch...'

'Wat is er aan de hand?' vraagt een bezorgde stem. 'Word eens wakker, Tom. Je bent aan het dromen.'

Langzaam wordt Tom wakker. Hij is helemaal nat van het zweet.

Dan ziet hij zijn moeder op de rand van het bed zitten. Ze streelt zijn vochtige haren.

'Rustig maar. Het is allemaal niet echt. Het was maar een droom.'

Ineens begint Tom te snikken. Hij vertelt wat hij gedroomd heeft en dat alles nu weer terugkomt. Alles van vroeger, toen hij nog op De Heul zat en die jongens hem steeds pestten. Dat ze hem altijd op stonden te wachten als hij uit school kwam en hem dan in de struiken gooiden. Hoeveel stompen en schoppen hij wel niet had gekregen. En dat hij altijd helemaal alleen was. Dat hij zo bang was voor die Bert en dat het nu dus weer opnieuw gaat beginnen.

Toms moeder geeft hem een kus. 'Het was maar een droom, Tom. En buurman Bol heeft toch met die meneer Dijkemans gesproken? Die zal er echt wel voor zorgen dat Bert zich nu koest houdt. En verder ben je nu niet meer alleen. Je hebt Koen en Lot en Els en Daan, en nog veel meer kinderen. En buurman Bol enne... die aardige Jan-Jaap. Echt, hoor, een nachtmerrie is afschuwelijk, maar als de droom een beetje is weggezakt, zie je het allemaal weer heel anders.'

Tom knikt. 'Ja,' zegt hij. 'En ik heb jou en papa. Dat was je nog even vergeten.' Hij lacht alweer door zijn tranen heen.

'Precies,' zegt zijn moeder. 'En dat van vroeger komt nooit meer terug. Je vrienden zullen je niet laten vallen, dat weet ik zeker.'

Een uurtje later ligt Tom weer te slapen. Dit keer droomt hij van Els, die zachtjes over zijn rug aait. Het is een fijne droom. Fijn en lief.

De volgende morgen is Tom al vroeg op.

'Je zult wel moe zijn,' zegt zijn vader.

'Nee hoor,' zegt Tom. 'Het gaat weer helemaal goed.'

Even later loopt hij naar school. Zijn moeder kijkt hem na. 'Míjn stoere zoon,' denkt ze hardop. 'Het leven valt niet altijd mee.'

Glimlachend ziet ze dat Koen en Lot al op Tom staan te wachten. En dan veegt ook zíj even snel een traan weg.

Die middag gaan ze met zijn vijven weer naar het clubhuis.
'Het raam is gemaakt!' roept Lot blij. 'Maar de deur staat open.
Er zal toch niet weer...' Ze rent als eerste naar binnen. Op de
tafel ligt een briefje.

Tom, kijk even in de ijskast!
Kus, mam

Tom gaat meteen kijken. 'Yes!' roept hij. 'Moorkoppen. En het zijn er zes. Wat lief! Mijn moeder wist dat Jan-Jaap vanmiddag zou komen om alle afspraken door te nemen.'

'En dat treft, want Jan-Jaap is er al,' zegt een zware stem. 'En Jan-Jaap heeft erg veel zin in een moorkop!'

Als de moorkoppen op zijn, pakt Daan het papier waar het programma op staat en begint: 'Jan-Jaap. Jij moet donderdagochtend om kwart voor acht op school zijn, want dan is er nog niemand op school. En dan moet je je zo snel mogelijk verstoppen tussen de bosjes achter het speellokaal.'

'Ho, ho!' roept Jan-Jaap. 'Dat kan niet, want Willeke is altijd rond kwart voor acht op school. Ze is altijd de eerste van allemaal. Dus dan loop ik het risico dat ze me ziet.'

'Ja,' zegt Daan. 'Maar jij weet nog niet dat juf Willeke die ochtend door meester Jan van huis wordt gehaald omdat ze haar om halfnegen met de hele school op het plein gaan toezingen. Dat willen ze graag doen omdat ze vorig jaar haar verjaardag niet heeft kunnen vieren, toen ze de ziekte van Pfeiffer had.'

'Oh, wat leuk,' zegt Jan-Jaap. 'Dat zal Willeke geweldig vinden.'

'Ja,' gaat Daan verder. 'En als alle kinderen op het plein staan, loopt Koen even ongemerkt de school in, en doet het raam in het speellokaal open. Jij klimt dan snel naar binnen en daarna brengt Koen je naar de voorraadkast. Daar moet je dan wachten tot je gehaald wordt.'

'Maar als iemand nu iets uit die voorraadkast moet hebben?' vraagt Jan-Jaap.

'Dan heeft hij pech, want Koen draait de deur op slot en steekt de sleutel in zijn zak. Dan is de sleutel dus gewoon kwijt, en níémand weet waar hij is.'

Jan-Jaap knikt. 'Maar hoe kom ik dan ooit in de magische doos terecht? Want die staat natuurlijk in het speellokaal.'

'Mijn moeder brengt de doos morgen om twaalf uur naar school,' zegt Tom. 'Die staat dan inderdaad in het speellokaal. En dat moet ook wel, want we moeten het publiek eerst laten zien dat hij leeg is.'

Jan-Jaap zucht. 'Ik snap er niets van. Want nu weet ik nog stééds niet hoe ik dan ongemerkt in die doos kom te zitten.'

Koen begint te lachen. 'Maak je maar geen zorgen. We hebben overal over nagedacht. Tijdens een dansnummer zegt Daan dat die doos maar even in de gang gezet moet worden omdat hij anders te veel in de weg staat. Op dat moment halen we jou uit de kast en schuiven de doos over je heen. Dan moeten we jou, met doos en al, weer even door de gang naar het speellokaal zien te krijgen, maar dat gaat wel lukken. Els en Lot zullen op dat moment voor zo veel afleiding zorgen dat het publiek daar niets van zal merken. Geloof me nou maar. Het komt helemaal goed.'

'Oké! Dan wacht ik het allemaal maar af.'

'Juist,' zegt Tom. 'Wij gaan nu de nieuwe doos opnieuw beplakken, Els en Lot gaan het clubbord schoonmaken, en jij gaat naar huis om je toespraakje voor juf Willeke te oefenen. Want overmorgen is het feest al.'

'Goed, baas!' zegt Jan-Jaap. 'Veel succes met alles en tot donderdag dan maar.' En dan loopt hij lachend weg.

Een nerveuze Daan en een man in de bosjes

De grote dag is aangebroken. Daan zit een beetje nerveus op het stoepje voor de schooldeur.
'Weet je wel dat het pas vijf over acht is?' vraagt meester Jan stomverbaasd. 'Waarom ben je zo idioot vroeg?'
'Omdat ik niet te laat wilde zijn.'
'Nou,' zegt meester Jan opgewekt. 'Dat is dan gelukt. Zoiets zou je vaker moeten willen, Daan.'
Daan lacht maar een beetje mee. 'Tja,' zegt hij. 'Ik ben natuurlijk ceremoniemeester. En Koen zei gisteren dat hij me zo ongeveer in elkaar zou meppen als ik te laat zou zijn. Laatst was ik ook al te laat bij, eh... bij, eh...'
Meester Jan begint te lachen. 'Maakt toch niet uit bij wie je precies te laat was. Je bent zo vaak te laat. Dat weten we nu allemaal wel.'
Als meester Jan de school in loopt, haalt Daan opgelucht adem. Tjonge, zeg. Had hij bijna het geheim van de krant verraden.

Dan haalt Daan het programma uit zijn zak.
Nog één keer leest hij het lijstje door.

1 Ontvangst op het plein
2 Koen laat Jan-Jaap via het speellokaal binnen
3 Toespraakje van meester Jan
4 Cadeautjes geven

'Hoi Daan!' Meester Martijn komt aanlopen met een grote zak ballonnen en een pomp. 'Ik ga ballonnen opblazen. Help je mee?' Samen gaan ze naar binnen. Meester Martijn pakt een pomp en blaast de ene na de andere ballon op. 'Als jij er nou even touwtjes aan vastmaakt, dan hang ik ze daarna aan het hek. Dat staat lekker feestelijk.'

Nu komen de andere meesters en juffen ook binnen. Juf Roos hangt nog snel wat slingers op in het speellokaal. En juf Ineke loopt met een dienblad vol koffie rond.

Ook Koen, Tom, en de andere kinderen die iets tijdens het feest moeten doen, komen binnen. Lot, Daan en Els zetten de laatste stoelen neer en brengen daarna hun spullen naar het keukentje, dat vandaag ook als kleedkamer gebruikt mag worden.

'Is alles klaar?' vraagt meester Martijn.

'Bijna,' zegt Els.

'Mooi. Want meester Jan is al op weg om juf Willeke op te halen.'

Een kwartier later staan alle juffen, meesters en kinderen in een grote boog op het plein.

Als juf Willeke uit de auto stapt en stralend toegezongen wordt, glipt Koen de school in.

Zo snel als hij kan, rent hij naar het speellokaal en doet het raam open. 'Kom maar, Jan-Jaap!' roept hij. 'Snel!'

En ja, hoor. Dan komt Jan-Jaap met een grote bos rode rozen en een brede grijns op zijn gezicht achter een struik vandaan.

'Alles onder controle?' vraagt hij.

'Volgens mij wel,' zegt Koen. 'Klim snel naar binnen, want dan breng ik je naar de voorraadkast.'

'Ik ben best wel zenuwachtig,' mompelt Jan-Jaap.

'Kom nou,' zegt Koen. 'Dat past niet zo bij een geheim agent.'

'Dat ben ik ook niet. Maar dat is geheim.'

Koen lacht. 'En dacht je dat ik dat niet wist? Kom gauw mee. Kijk, hier moet je in.' Koen duwt Jan-Jaap de kast in. 'Veel succes en tot straks!'

Dan doet Koen de deur op slot en steekt de sleutel in zijn zak. Dat is weer dat, denkt hij tevreden.

Een feestelijk welkom en een onbekende fotograaf

Juf Willeke staat glunderend naast meester Jan op het school-
plein.
'Namens iedereen heel hartelijk gefeliciteerd met je verjaardag,
Willeke!' zegt meester Martijn. Hij staat met de microfoon in
zijn hand tussen de kinderen in.
'Is dit allemaal voor mij?' roept Willeke verbaasd.
'Nou,' zegt meester Martijn. 'Eigenlijk was het voor de konin-
gin. Maar ja, die heeft net afgebeld. Dus daarom zingen we nu
maar voor jou.'
Meester Martijn geeft de microfoon aan meester Jan.
'Lieve Willeke,' zegt Jan vrolijk. 'Dit is echt allemaal ter ere van
jouw verjaardag. Tenslotte ben je vorig jaar heel lang ziek ge-
weest en kon je je verjaardag niet eens vieren. Daarom doen we
het dit jaar een beetje dubbelop.'
'Och!' zegt Willeke. 'Wat lief!'
En dan mag ze tussen de kinderen door naar binnen lopen.
'Nee, niet naar de klas!' roept Lot. 'Vandaag moet je naar het
speellokaal, juf.'
'Wat nu weer?' vraagt juf nieuwsgierig.

Intussen dringen de kinderen langs elkaar heen om zo snel
mogelijk in het speellokaal te zijn.
'Rustig, jongens!' roept meester Martijn. 'Straks gebeuren er
nog ongelukken.'

Hij heeft het nog niet gezegd of een bloempot die op de kast staat, valt met een klap op de grond.

'Kijk dan ook uit, sufferd!' roept Abdoel tegen Joris.

Meester Martijn grijpt Joris meteen in zijn kraag. 'Ruim als een speer die rommel op. Pak maar een stoffer en blik uit de voorraadkast.'

'Doe ik,' zegt Joris.

Tom en Koen kijken elkaar geschrokken aan.

'Ik ruim het wel even op,' zegt Tom snel.

'Kom nou,' zegt meester Martijn. 'Je kunt ook té aardig zijn voor elkaar. Joris ruimt het gewoon zelf op. Wie zijn billen brandt, moet tenslotte op de blaren zitten.'

Intussen rammelt Joris al aan de deur van de voorraadkast.

'Meester!' roept hij. 'De deur zit op slot.'

'Zeur niet,' zegt meester Martijn geïrriteerd. 'Ik ben gisteren nog in die kast geweest. Die kast zit trouwens nooit op slot. Dat kán niet waar zijn.' Mopperend loopt meester Martijn naar Joris toe.

'Goed dat je die sleutel hebt meegenomen,' zegt Tom tegen Koen. 'Anders hadden we nu een probleem.'

Meester Martijn rukt intussen aan de gesloten kastdeur. 'Ik snap er niks van,' zegt hij. 'Nou ja, haal de reservesleutel dan maar van het sleutelbord in het kamertje van meester Jan.'

'Goed,' zegt Joris en hij rent weg.

'Wat nu?' fluistert Koen in paniek.

'Geef die sleutel,' zegt Tom. 'Nú!'

Hij wacht tot meester Martijn weer in het speellokaal is en maakt dan snel de kastdeur open.

'Hè, hè,' zegt Jan-Jaap. 'Dat duurde lang, zeg.'

Tom grijpt het stoffer en blik van de plank. 'Pak aan,' sist hij naar Koen. Dan duwt hij Jan-Jaap zonder iets te zeggen terug in de kast en draait de deur weer op slot.

Net op tijd, want op dat moment komt Joris met de reservesleutel aanrennen.

'Niet meer nodig,' zegt Koen. 'We hebben er al één.' Hij duwt Joris het stoffer en blik in zijn handen. 'Geef mij die sleutel maar. Ik hang hem wel even voor je terug.'

'Oké,' zegt Joris. Hij rent weg en ruimt als een haas de restanten van de plant en de bloempot op.

'Geef maar,' zegt Tom als Joris het stoffer en blik terug komt brengen. 'Ik ruim het wel op.'

'Ook weer opgelost,' zegt Koen opgelucht.

Ineens loopt er een onbekende man de school binnen.

'Weten jullie toevallig waar ik moet zijn?' vraagt hij aan de jongens.

'Wie moet u hebben?' vraagt Koen.

'Ik ben fotograaf en ik moet wat foto's maken en een stuk voor de krant schrijven. Er gaat iets leuks gebeuren met iemand in een doos, of zo. Ik weet het ook niet precies.'

'Ssst...' zegt Tom geschrokken. 'Dat moet geheim blijven.'

'Ja,' zegt de man. 'Zoiets had ik al begrepen.'

Dan vertelt Koen zacht wat er allemaal gaat gebeuren, maar dat de juffen en meesters en de andere kinderen het nog niet mogen weten.

'Verrek,' zegt de man. 'Dat is geinig. Dat hebben jullie leuk bedacht, zeg!'

Dan stapt meester Jan de gang in. 'Kan ik u ergens mee van

dienst zijn? Maar wacht, ik zal me eerst even voorstellen. Mijn naam is Jan de Vlaming. Ik ben directeur van deze school.'

'Oh,' zegt de man. 'Dat komt prachtig uit.' Hij geeft Koen en Tom snel een vette knipoog.

'Ik ben van de krant en ik, eh… ik ben bezig met een artikel over het zware werk van een schooldirecteur, en toen dacht ik dat ik misschien een kort interview met u kon doen, en misschien ook een paar foto's zou kunnen maken.'

'Natuurlijk,' zegt meester Jan. 'Leuk! Maar dat kan pas na twaalf uur, want we hebben vandaag groot feest voor een van de juffen op school, en daar wil ik wel graag bij zijn.'

'Geeft niks,' zegt de fotograaf. 'Er is net een afspraak afgezegd, dus ik heb alle tijd. Misschien kan ik dan ook wat foto's van het feest maken. Ik ben er nu tenslotte toch.'

'Geweldig!' roept meester Jan. 'Kunt u mij er dan later een paar mailen? Want dan zetten we ze op de website van de school.'

'Geen probleem. Dat zal ik doen,' zegt de man. 'En ik heb eigenlijk best zin om een leuk feestje bij te wonen.'

'Kom dan maar gauw mee,' zegt meester Jan. 'Want de cadeautjes zijn al uitgepakt.'

Samen lopen ze voor Koen en Tom uit naar het speellokaal. De fotograaf draait zich met een brede grijns nog even om naar de jongens.

Tom steekt vrolijk zijn duim op. Tot nu toe loopt het allemaal gesmeerd, denkt hij.

Een bijzondere goocheltruc en heel veel ijs

.

Daan kijkt tevreden op zijn briefje. Het feest verloopt prima. Juf Willeke vindt alles fantastisch en de stemming zit er goed in. Zelfs de fotograaf buldert regelmatig van het lachen.
Meester Jan heeft het publiek uitgelegd dat die onbekende meneer een fotograaf van de krant is, en dat hij eigenlijk is gekomen om een interview met de schooldirecteur te houden. 'Maar dat kan pas na twaalf uur,' zegt meester Jan. 'Want dit feest wil ik natuurlijk niet missen. En nu maakt die meneer intussen wat foto's voor op de website.'

Joris en Timo geven een demonstratie judo, waarbij Timo het voortdurend aflegt. Joris is verreweg de beste van de twee, want Timo valt om de haverklap op de mat. Gelukkig kan hij er zelf ook om lachen, en krijgen ze na afloop een groot applaus.
Daarna beginnen Tom en Koen met hun goochelshow. Als eerste verandert Tom een rode ballon in een groene doek.
Dan is Koen aan de beurt. Op wonderbaarlijke wijze laat hij een zilveren beker verdwijnen.
En samen halen ze de ene na de andere speelkaart uit een lege goochelhoed.
Niemand snapt er iets van, maar iedereen vindt het geweldig.
'En dan nu...' roept Koen. 'De truc met onze magische doos!'
Koen en Tom pakken de grote versierde doos van de grond en houden hem op zijn kant, zodat iedereen erin kan kijken.

'Wat ziet u in deze doos, dames en heren?' vraagt Tom.

'Niks!' roept de klas.

'Juist,' zegt Tom. 'Uitstekend geantwoord.'

Samen zetten ze de doos weer voor het publiek op de grond.

'En dan gaan we nú...'

'Helemaal niet!' schreeuwen Lot en Els woedend. Ze spelen perfect dat ze kwaad zijn. 'Wij mochten eerst. Jullie gaan voor je beurt. Vraag zelf maar aan Daan.'

'Geen ruzie maken!' roept Daan, en hij kijkt even op zijn papier. 'Ja,' zegt hij dan ernstig. 'Eerlijk is eerlijk: de dames hebben gelijk. Zet die doos trouwens maar even op de gang, want Els en Lot gaan een clownsnummer doen, en anders staat hij te veel in de weg.'

'Oké,' zegt Koen met een diepe zucht.

Zogenaamd mokkend pakken de jongens de doos en schuiven hem naar de gang.

Abdoel zet een cd met circusmuziek op en dan dansen Lot en Els alsof hun leven ervan afhangt. De ene keer struikelt Els en dan weer Lot. Er gaat werkelijk van alles mis en iedereen ligt in een deuk.

Intussen lopen Koen en Tom met de magische doos naar de voorraadkast. Koen draait de deur van het slot. 'Kom,' zegt hij.

'Hè, hè, eindelijk!' fluistert Jan-Jaap. 'Ik was al bang dat ik hier dood zou moeten gaan van de honger. Ik dacht dat jullie nooit zouden komen.'

'Schiet op,' zegt Tom zacht. 'We zetten nu die doos over je heen.'

'Wacht!' sist Jan-Jaap. 'Even mijn rozen pakken.'

Zo snel als hij kan schuifelt Jan-Jaap met de doos over zich heen door de gang. Het is nog best lastig, want de bos rozen houdt hij onder een van zijn oksels geklemd.

Als Koen voor het raam van het speellokaal staat, steekt hij even zijn hand op.

Lot knikt. Ze klapt in haar handen en meteen halen de meiden een waterpistool uit de zak van hun clownsbroek en beginnen op elkaar te schieten. Het publiek begint te joelen.

'Nú naar binnen!' fluistert Tom.

Heel voorzichtig schuiven de jongens de doos het speellokaal in.

'We zijn er,' zegt Koen zachtjes. Jan-Jaap blijft doodstil op zijn hurken onder de doos zitten.

Precies op dat moment klinkt het applaus en maken Els en Lot een diepe buiging.

'En dan nu...' roept Daan. 'Tom en Koen met hun magische doos!'

Abdoel start de muziek. En daar staan Tom en Koen, elk aan een kant van de doos.

'Hatsjie!' klinkt het ineens vanuit de doos.

De jongens schrikken zich een ongeluk.

Koen doet ook gauw: 'Hatsjie!' En nog een keer: 'Hatsjie!'

'Daar zijn we dan weer!' roept Tom. 'Samen met onze magische doos!'

Deftig loopt hij rond en hij slaat met zijn toverstok op alle zijden van de doos.

'En dan nu de grote verrassing!' roept Koen.

Op dat moment begint Daan op een trommel te roffelen.

Koen pakt een groot wit laken en drapeert het over de doos heen.

'Nu hebben we nog een vrijwilliger uit het publiek nodig,' zegt Tom.

Hij kijkt van links naar rechts de zaal in.

'Ik!' 'Ik!' 'Ik!' wordt er geroepen. De een na de ander steekt zijn vinger op.

'Dit wordt te moeilijk,' zegt Tom. 'Ik stel voor dat we iemand kiezen die vandaag jarig is.' Hij kijkt naar juf Willeke. 'Kom maar even hier, juf.'

'Lieve help!' roept Willeke. 'En wat moet ik dan doen?'

'Wij tellen tot tien en dan trekt u het laken van de doos af,' zegt Koen. 'Iedereen mag trouwens meetellen.'

Juf gaat naast de doos staan en pakt het laken stevig vast. De fotograaf gaat langzaam staan. Koen en Tom beginnen te tellen: 'Eén, twee, drie, vier...' Het gaat steeds harder. 'Acht, negen... TIEN!'

De fotograaf maakt intussen de ene foto na de andere.

Met een ruk trekt juf Willeke het laken van de doos.

De doos vliegt open en Jan-Jaap springt tevoorschijn met een bos geknakte rode rozen in zijn hand.

'Help!' gilt juf Willeke. 'Help! Wat gebeurt er?'

'Lieve Willeke,' zegt Jan-Jaap. 'Lieve, lieve, lieve Willeke. Zou je met me willen trouwen?'

'Wat... Wie... Ik?' stamelt juf Willeke verdwaasd.

Het publiek begint vreselijk te lachen.

'Willeke,' vraagt Jan-Jaap dus nog maar eens. 'Wil je alsjeblíéft met me trouwen?'

'Ja... eh... natuurlijk!' roept juf Willeke ontroerd. 'Ach, lieverd! Wat ontzettend leuk!' Ze slaat haar armen om Jan-Jaaps nek en geeft hem een kus.

De fotograaf blijft maar knippen.

'Hiep, hiep, hiep, hoera!' brullen Koen en Tom.

Dan zet Abdoel een cd op met *Lang zal ze leven!*

Lot en Els gooien handen vol confetti over Willeke en Jan-Jaap heen.

'Polonaise!' roept Jan-Jaap vrolijk. 'Kom, schat. Ik voorop en jij achter mij. Daar gaan we!'

En zo lopen ze met z'n allen zingend door de school naar het schoolplein.

Jan-Jaap voorop, dan juf Willeke, dan Koen en meester Jan. Steeds meer kinderen en meesters en juffen sluiten aan.

Uiteindelijk staat iedereen vrolijk op het plein.

'En nu een verrassing!' roept Jan-Jaap. Hij rent weg en verdwijnt achter de fietsenhokken. Al bellend komt hij met een echte ijsco-kar weer tevoorschijn.

'Yes!' juichen de kinderen. Ze rennen op de ijscokar af.

Jan-Jaap zet een witte pet op en begint ijs te scheppen. Juf Willeke geeft lachend de hoorntjes aan. Meester Jan en de fotograaf krijgen als eersten een ijsje.

'Wij gaan zo even praten, hè?' zegt meester Jan.

'Nou...' zegt de fotograaf. 'Er is iets tussengekomen. Ik heb net namelijk een sms'je gekregen dat ik naar een spoedopdracht moet. Dus dat interview moeten we nog even uitstellen. Maar u hoort nog van me.'

'Prima,' zegt meester Jan. 'Dat doen we dan later wel een keer. Maar die foto's krijg ik wel, hè?'

'Absoluut,' zegt de fotograaf. 'Geef me zo even uw e-mailadres, want dan zal ik er morgen een paar mailen.' Als hij even later met zijn ijsje het plein af loopt, denkt hij: ik bel later wel om hem uit te leggen dat dat interview gewoon een smoes was.

'Jullie waren fantastisch!' zegt Jan-Jaap zodra de leden van De Club Zonder Naam hun ijsje komen halen. 'Tenslotte hebben jullie dit allemaal bedacht.'

'Dit meen je niet!' roept juf Willeke stomverbaasd. 'Die truc met de doos?'

'Ja, de truc met de magische doos.'

'Ongelooflijk,' zegt juf Willeke lachend. 'Ik snap er weliswaar niets van, maar ik vond het absoluut geweldig. Dank je wel, jongens!'

En dan krijgen de clubleden alle vijf een dikke kus.

Geknakte rozen en een bijzondere brief

Die avond zitten Jan-Jaap en Willeke samen op de bank.
Jan-Jaap vertelt hoe De Club Zonder Naam hem geholpen heeft
en hoe ontzettend lang hij in de voorraadkast heeft gezeten. En
hoe moeilijk het was om gehurkt onder de magische doos te
blijven zitten zonder te bewegen, en hoe hij schrok toen hij per
ongeluk nieste.
'En toen waren mijn rozen ook nog geknakt,' besluit hij.
'Nou,' zegt Willeke met een blik op de vaas. 'Ik heb anders nog
nooit zulke prachtige geknakte rozen gezien. En ik vond het
allemaal even fantastisch! Al die lieve gezichten om me heen. Ik
kan je gewoon niet vertellen hoe blij ik ben.'
Ineens staat Willeke op en ze loopt weg.
'Wat ga je doen?' vraagt Jan-Jaap.
'Snel een zakdoek pakken.'
Jan-Jaap begint te schateren. 'Ach, lieverd! Werd het je allemaal
even te veel?'
'Kun je wel zeggen,' snottert Willeke, die alweer terugkomt.
'Maar het is al over, hoor.'
'Gelukkig maar,' vindt Jan-Jaap. 'Want ik moet je nu met spoed
bewijzen dat je het aller-, állerliefste meisje bent dat ik ooit ge-
zien heb.' Hij staat op en slaat zijn armen om Willeke heen. En
dan is er even geen tijd meer om te praten...

De volgende morgen zit juf Willeke stralend in de klas. Ze heeft de klas uitgebreid bedankt voor alle cadeautjes en het prachtige feest, en ze hebben met z'n allen nog gezellig nagepraat.

Daarna haalt juf met een ernstig gezicht een envelop uit haar tas. 'Ik heb iets voor jullie. Toen ik gisteren thuiskwam, lag er een mooie verjaardagskaart van meester Dirk op de mat. Maar er zat ook een brief voor jullie bij.'

'Voor ons?' vraagt Koen.

Juf knikt. 'Ja, voor jullie. Ik denk dat ik hem het beste maar even kan voorlezen.'

Ze haalt de brief uit de envelop en begint te lezen:

Lieve kinderen,

Ik snap dat jullie verbaasd zijn dat jullie een brief van mij krijgen. Maar na alles wat er gebeurd is, vind ik dat jullie daar recht op hebben.

Ik weet van meester Jan dat hij jullie het een en ander over mijn problemen heeft verteld.

Na de dood van ons dochtertje heb ik inderdaad een jaar niet kunnen werken. Het ging echt niet meer. Mijn vrouw en ik hebben het ontzettend moeilijk gehad.

Toen het na een jaar wat beter leek te gaan, dacht ik dat ik misschien voorzichtig weer kon beginnen met werken door af en toe in te vallen bij jullie op school.

Maar ik weet dat ik bepaald geen fijne meester voor jullie ben geweest. Dat spijt me meer dan ik kan zeggen. Ik was ongeduldig, ik schreeuwde, en het was nooit gezellig. Dat kwam omdat het dus helemaal niet beter met me ging. Ik deed wel

74

van alles, maar vanbinnen voelde ik mezelf eigenlijk ook een beetje dood. Om dat nare gevoel te verdrijven, ben ik gaan drinken. Mijn vrouw vond dat erg moeilijk en we hadden er voortdurend ruzie over. Daarom ben ik stiekem gaan drinken. Steeds vaker en steeds meer. Zelfs bij jullie in de klas, en daar is geen enkel excuus voor te bedenken. Ik schaam me diep.

Op dit moment logeer ik in een soort ziekenhuis, waar ik leer om over mijn verdriet te praten, in plaats van al die gevoelens steeds weg te drinken.
Ik had jullie dit alles nooit durven schrijven als ik niet al die lieve briefjes van jullie had gekregen. Toen ik de envelop open had gemaakt, barstte ik in tranen uit. Ik had nooit verwacht dat jullie dat voor mij wilden doen. Daar kan ik jullie niet genoeg voor bedanken.

En dan wil ik jullie ook nog iets heel moois vertellen. Eergisteren vertelde mijn vrouw dat we weer een kindje krijgen. Als alles goed gaat, wordt de baby over zeven maanden geboren. Dit is voor mij natuurlijk nog een extra reden om heel erg mijn best te doen om te veranderen. Het verdriet om ons dochtertje zal nooit helemaal overgaan, maar dit nieuwe kindje heeft recht op een lieve en gezonde vader.
En ik hoop op een dag misschien ook nog eens een lieve en gezonde meester voor jullie te zijn. Daar zal ik in elk geval mijn uiterste best voor doen.
Nogmaals: dank je wel, en veel liefs voor jullie allemaal, ook namens mijn vrouw,

Meester Dirk

Het is muisstil in de klas. Veel kinderen hebben tranen in hun ogen.

'Nou,' zegt Joris na een poosje. 'Ik vind het wel heel goed van meester Dirk dat hij zo'n brief heeft geschreven. Dat zal heus niet zo makkelijk geweest zijn.'

'Nee,' zegt juf. 'Dat denk ik ook niet.'

Dan horen ze iemand snikken. Het is Els. Ze ligt met haar hoofd op haar armen op tafel en haar rug schokt.

'Och, meisje toch,' zegt juf. Ze vult snel een glas met water en loopt naar Els toe.

'Ik vind het zo zielig!' huilt Els. 'En ook zo fijn dat ze weer een kindje krijgen.'

'Ik snap het,' zegt juf. Ze streelt Els troostend over haar hoofd. 'Maar ik denk dat het écht weer goed gaat komen met meester Dirk en zijn vrouw.'

'Ja,' zegt Daan. 'Dat denk ik ook. Het zou best wel eens een hele toffe peer kunnen zijn als hij weer terugkomt.'

Door de nuchtere opmerking van Daan, klinkt er ineens ook gelach in de klas.

'Weet je wat?' zegt Willeke. 'Daar houden we het even op. Ik stel voor dat jullie nu een tijdje buiten gaan spelen. Dat leidt een beetje af, en dan praten we er later nog eens over door als jullie dat fijn vinden.'

Na een halfuur zit iedereen weer opgewekt in de klas.

Tom kijkt naar Els. Ze heeft nog een paar rode vlekken bij haar ogen. 'Gaat het weer?' fluistert hij.

Els knikt. En dan lacht ze even.

'Fijn,' zegt Tom. Els is echt lief, denkt hij.

Een stapel kranten en de groeten van een tijger

Even later wordt er op de deur geklopt. Er stapt een grote man de klas in, met een enorme stapel kranten onder zijn arm.

Tom stoot Koen aan. 'De Boer,' fluistert hij. Ze zien dat Daan langzaam een beetje rood wordt.

'Stoor ik?' vraagt de man.

'Dat hangt ervan af wat u komt doen,' zegt juf Willeke.

'Mijn naam is De Boer. Ik werk bij de krant en ik wilde eigenlijk even een soort onderzoekje doen. We willen graag weten wat kinderen nu precies het leukste nieuwtje uit deze krant vinden.'

'Nou,' zegt juf Willeke. 'Gaat uw gang. Mag ik dan ook meedoen?'

Meneer De Boer lacht. 'Zeker. U mag ook meedoen.'

'Leuk! Maar dan zal ik u eerst even helpen met uitdelen.'

'Graag,' zegt meneer De Boer. 'Maar denk erom: de krant mag níét open voordat ik het zeg. We beginnen allemaal tegelijk.'

Even later ligt er op elke tafel een krant.

'Nou jongens, begin maar. Ik ben benieuwd!'

Meteen slaat iedereen de krant open, en direct daarna klinkt er geroep en gelach.

'Wat is DIT nou?' gilt juf Willeke. 'We staan in de krant! Een prachtige foto van Jan-Jaap en mij!'

'Ja, vindt u niet?' zegt meneer De Boer.

'Maar waarom?' vraagt juf verbaasd. 'Zo belangrijk ben ik toch niet?'

'Blijkbaar wel. Zó belangrijk dat die drie jongens daar' – hij wijst naar Koen, Tom en Daan – 'bij me zijn geweest om te vragen of ik een fotograaf naar het feest wilde sturen. Maar het staat er allemaal in, hoor. Lees maar.'

Els en Lot kijken met grote ogen naar de drie jongens. 'Wat een mooie actie!' roept Lot.

En dan leest juf Willeke het verhaal dat onder de foto staat voor.

Van onze speciale verslaggever
Gisteren was het feest op basisschool De Bron. Omdat juf Willeke vorig jaar wegens een langdurige ziekte haar verjaardag niet op school kon vieren, werd ze dit jaar extra in het zonnetje gezet. Na een feestelijke ontvangst op het schoolplein werd ze niet alleen verwend met allemaal leuke cadeautjes, maar ook verrast met een prachtige voorstelling van haar klas. Hoogtepunt van de feestelijkheden was ongetwijfeld de goocheltruc met de magische doos, waaruit de vriend van juf Willeke op ludieke wijze tevoorschijn werd getoverd.

De goochelshow eindigde met een onverwacht, maar zeer ontroerend huwelijksaanzoek aan de jarige juf door haar vriend Jan-Jaap.

Alle aanwezigen, waaronder uw verslaggever, kunnen met recht terugkijken op een bijzonder geslaagd feest, mede door de enorme inzet van de leden van De Club Zonder Naam, waarvan we in de toekomst wellicht nog vaker zullen horen.

'Ik weet gewoon niet wat ik moet zeggen! En wat zal Jan-Jaap dit ook leuk vinden!' roept juf Willeke. Ze kijkt de klas rond. 'U ook bedankt, hoor!' zegt ze tegen meneer De Boer.

'Graag gedaan. We zijn er zelf ook blij mee. Zulke leuke dingen zouden we best vaker in de krant willen hebben.'

'Nou,' roept Daan. 'Ze gaan ook nog trouwen...'

'Ja,' zegt meneer De Boer vrolijk. 'Tegen die tijd kom je maar weer eens langs, Daan. En, eh... voor ik het vergeet: ik moest je vooral nog even de groeten doen van die tijger.'

'Tijger?' vraagt Willeke verbaasd.

'Geintje hoor, juf!' roept Daan met een brede grijns. 'Je kent me toch?'